# Docteur à ton service !

**Anne Didier** est née en 1969. Professeur de français, il lui tenait à cœur de donner aux élèves l'envie d'écrire de belles histoires. Après la naissance de ses deux garçons, elle s'est décidée à écrire, elle aussi... pour les enfants.

Du même auteur dans Bayard Poche :

*Les apprentis sorciers – Le trésor du roi qui dort – L'épreuve du prince Firmin* (Mes premiers J'aime lire)

*Enquête chez Tante Agathe – La clef magique – Classe verte sur planète bleue – Un visiteur étrange-bizarre* (J'aime lire)

 **Charles Dutertre** est né à Rennes en 1972 et a fait des études aux Beaux-Arts de Cherbourg et de Rennes. Aujourd'hui, il vit à Nantes et travaille pour la presse (Ouest-France, Bayard et Milan) ainsi que pour l'édition (Nathan, Larousse et Le Rouergue).

Du même illustrateur dans Bayard Poche :

*L'archiduc de Tralala et autres histoires* (Mes premiers J'aime lire)

# Docteur Virus, à ton service !

Une histoire écrite par Anne Didier
illustrée par Charles Dutertre

mes premiers
j'aime lire

bayard poche

# Chapitre 1
## Le mal d'école

   Jeudi dernier, je n'avais aucune envie d'aller à l'école. J'avais plutôt l'intention de regarder le DVD de *S.O.S. Fripouille* que mon papi venait de m'offrir.

   J'ai dit à Maman que j'avais mal à la gorge, mais elle ne m'a pas cru.

Alors, je me suis peinturluré la langue avec un feutre rouge pour lui faire croire que j'avais une angine.

Quand j'ai ouvert la bouche, Maman a levé les yeux au plafond et elle m'a ordonné :

– Jérémie ! Va immédiatement te débarbouiller… Tu iras à l'école, un point c'est tout.

J'ai traîné des pieds jusqu'à la salle de bains et, devant le miroir, j'ai inventé une petite chanson pour me redonner du courage :

« Vive les microbes, vive les virus*, Vive les vicrobes et les mirus... »

Soudain, j'ai entendu du bruit dans l'armoire à pharmacie. C'était comme si, à l'intérieur, quelqu'un frappait pour sortir.

* Virus : sorte de microbe qui peut causer des maladies.

J'ai ouvert l'armoire à pharmacie et, là, j'ai eu une surprise incroyable !

Une sorte de lutin a sauté sur le lavabo. Il était haut comme une boîte de pansements et il avait un stéthoscope* miniature autour du cou.

Le lutin a lancé d'une voix pointue :

— Je me présente : docteur Virus, à ton service pour te guérir ! Tu as récité la formule pour me faire apparaître. Que veux-tu ?

* Stéthoscope : instrument que les médecins utilisent pour écouter les bruits de la respiration et du cœur.

J'ai bredouillé :

— Euh… je veux juste tomber malade pour ne pas aller à l'école.

— Mal d'école ? Parfait, c'est ma spécialité. J'ai quelques maladies bizarres à te proposer.

Le docteur a sorti de sa mallette une grosse gélule bleue et me l'a tendue :

— Voilà de quoi faire une « baudruchite » aiguë. Avale ceci immédiatement, tu en ressentiras les effets dans quelque temps.

# Chapitre 2

## La baudruchite

À l'école, une heure plus tard, j'ai commencé à me sentir bizarre. J'avais comme des ballonnements et je me sentais très léger. Soudain, j'ai réalisé que je flottais au-dessus de ma chaise.

La maîtresse a levé les yeux sur moi et elle est restée stupéfaite. Elle a appelé ma mère au téléphone.

Cinq minutes plus tard, on a entendu des pneus crisser sur le parking. C'était Maman.

Elle m'a ramené chez nous en vitesse, en fermant les fenêtres de la voiture pour que je ne m'envole pas.

À la maison, elle a fait venir d'urgence notre médecin de famille.

Celui-ci m'a examiné, alors que je flottais au-dessus de mon lit. Il avait l'air perplexe.

– Curieux… très curieux, a-t-il répété.

Le médecin a réfléchi et il a déclaré :

– D'abord, nous allons t'empêcher de t'envoler, Jérémie.

Maman et lui m'ont bordé avec plusieurs draps. Le médecin m'a donné une boîte de médicaments. Puis Maman l'a raccompagné jusqu'à la porte d'entrée.

J'ai passé le reste de mon jeudi, coincé dans mon lit, à m'ennuyer.

Vers 17 heures, un petit bolide aérien a jailli de mon tiroir à chaussettes. C'était Virus, à cheval sur une seringue.

Il m'a demandé :

— Alors, Jérémie… content d'être un peu dorloté ? Comment te sens-tu ?

— Aussi à l'aise qu'une momie, ai-je répondu sèchement. Et pas question de me lever pour regarder *S.O.S. Fripouille*.

Virus a saisi la boîte de médicaments et il m'a dit :

— Tu n'as pas besoin de prendre ça, car ta baudruchite sera guérie ce soir.

Il s'est penché au-dessus de sa mallette en marmonnant :

— Qu'allons-nous te préparer pour demain ? Pourquoi pas une « caoutchoutite » ?

J'ai ouvert la bouche pour répondre. Il en a profité pour y fourrer trois granulés qui sentaient le vieux pneu de tracteur. Ensuite, il est remonté sur son engin et il a disparu par la fenêtre ouverte.

En fin de soirée, j'avais retrouvé mon poids habituel et je ne volais plus. Le médecin a dit que j'étais guéri. Mais il était presque l'heure de retourner au lit.

# Chapitre 3

## La caoutchoutite

Le lendemain matin, Maman est venue me réveiller :

– Dépêche-toi, Jérémie ! Tu retournes à l'école, aujourd'hui !

J'ai essayé de me lever, mais impossible de me mettre debout. Mes genoux étaient devenus tout mous !

J'ai murmuré :

– La caoutchoutite…

Maman m'a examiné avec un air encore plus catastrophé que la veille. Elle a vite appelé le médecin. Celui-ci a remarqué :

– C'est décidément très curieux, les symptômes* semblent se transformer et se déplacer… Je vais te prescrire un nouveau traitement. Et si ça ne va pas mieux, nous ferons une série d'examens.

* Symptôme : signe qui permet de reconnaître une maladie. Par exemple, le nez bouché est un symptôme du rhume.

Au milieu de l'après-midi, j'en avais vraiment assez d'être cloué au lit. Mes copains de classe commençaient à me manquer.

Quand Maman est venue m'apporter une tisane, je lui ai dit :

— Tu sais, si demain je suis guéri, je serai vraiment content de retourner à l'école…

Maman s'est forcée à sourire :

— Voilà au moins une bonne nouvelle.

Maman était à peine sortie que Virus a jailli de ma table de nuit. Il s'est exclamé :

– Qu'est-ce que je viens d'entendre ? Tu veux retourner à l'école… alors que je viens de te préparer une magnifique « sapinose » pour demain !

Il m'a tendu une minuscule bouteille de sirop vert, puis s'est mis à fouiller dans sa sacoche. J'en ai profité pour verser le sirop dans ma tisane… et j'ai fait semblant de porter la bouteille à mes lèvres.

Virus était parti depuis un quart d'heure, quand Maman est revenue me voir. Elle a remarqué :

— Tu n'as pas touché à ta tisane !

— Surtout, ne la bois pas ! ai-je commencé…

Mais je n'ai pas eu le temps de terminer, Maman était déjà dans l'escalier.

Le lendemain, samedi, mes genoux étaient parfaitement guéris. Je suis allé à l'école sans me faire prier, et j'ai passé une très bonne matinée.

À 11 h 30, sur le chemin du retour, j'étais tout de même inquiet. J'avais peur que le docteur Virus m'attende à la maison.

Arrivé chez moi, je suis vite allé dans ma chambre pour vérifier. Il n'y avait personne. Mais, sur mon oreiller, un petit papier était posé. C'était une feuille de soin miniature, qui portait un numéro de téléphone. Dessus, il y avait écrit :

*Consultations et traitements jusqu'à guérison complète : 15 euros.*

J'ai regardé dans ma tirelire : il manquait exactement 15 euros !

Je me suis précipité sur le téléphone dans le couloir et j'ai composé le numéro.

— Allô ? a dit Virus d'une voix pointue.

— Dites donc, ai-je crié, non seulement vous m'avez donné d'horribles maladies mais, en plus, vous me faites payer !

— Tu es bien allé en classe, aujourd'hui ?

— Oui…, ai-je répondu.

— Alors, tu es guéri de ton mal d'école. Virus avait raison.

J'ai raccroché d'un coup sec et je me suis dirigé vers la cuisine. Là, j'ai eu un grand choc. Maman avait le visage vert, vert sapin ! Elle a gémi :

— Jérémie, c'est à mon tour d'avoir une affreuse maladie !

— La sapinose, ai-je murmuré.

Heureusement pour Maman, les maladies du docteur Virus ne duraient jamais trop longtemps…

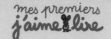 Des romans pour les lecteurs débutants

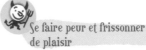 **Édition**

 Se faire peur et frissonner
de plaisir

 Réfléchir et comprendre
la vie de tous les jours

Rêver et voyager
dans des univers fabuleux

 Rire et sourire
avec des personnages insolites

Se lancer dans des aventures
pleines de rebondissements

© Éric Gasté

## Presse

Mes premiers J'aime lire,
un magazine **spécialement
conçu pour accompagner
les enfants du CP et du CE1**
dans leur apprentissage
de la lecture.

Un rendez-vous mensuel avec
**plusieurs formes et niveaux de lecture :**

- une histoire courte
- un vrai petit roman illustré inédit
- des jeux et la BD Martin Matin

Avec un **CD audio** pour faciliter l'entrée dans l'écrit.

Chaque mois, les **progrès de lecture de l'enfant sont valorisés**, du déchiffrage d'une consigne de jeux à la fierté de lire son premier roman tout seul.

Réalisé en collaboration avec des orthophonistes et des enseignants.

 Pour en savoir plus : *www.mespremiersjaimelire.com*

**J'AIME LIRE** Des premiers romans à dévorer tout seul !

**Édition**

 **Réfléchir et comprendre la vie de tous les jours**

 **Se faire peur et frissonner de plaisir**

 **Rire et sourire avec des personnages insolites**

 **Rêver et voyager dans des univers fabuleux**

 **Se lancer dans des aventures pleines de rebondissements**

## Tes histoires préférées enfin racontées !
**J'écoute J'AIME LIRE**

Le magazine *J'aime lire* accompagne les enfants dans des **grands moments de lecture**

Une année de *J'aime lire*, c'est :

**- 12 romans de genres toujours différents :** vie quotidienne, merveilleux, énigme...

**- Des romans créés pour des enfants d'aujourd'hui** par les meilleurs auteurs et illustrateurs jeunesse.

**- Un confort de lecture très étudié** pour faciliter l'entrée dans l'écrit : place de l'illustration, longueur du roman, structuration par chapitres, typographie adaptée aux jeunes lecteurs.

Chaque mois : un roman illustré inédit, 16 pages de BD, et des jeux pour découvrir le plaisir de jouer avec les mots.

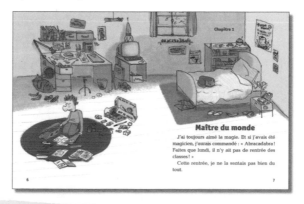

*Pour en savoir plus : www.jaimelire.com*

Achevé d'imprimer en mars 2009 par Pollina S.A.

85400 LUÇON - N° Impression : L48562C

Imprimé en France